Ch
La

Le problème

suivi de

Le discours

Chez le même éditeur

Collection Expression théâtrale

5 À 10 ANS

Des spectacles pour les enfants
Sous la direction de Denise Chauvel

8 À 12 ANS

Contes du monde au théâtre
Sous la direction d'Alain Héril et Dominique Mégrier

Don Quichotte et autres personnages
Sous la direction d'Anne-Catherine Vivet-Rémy

Pièces à déguster
Sous la direction de Dominique Mégrier

ISBN : 978-2-7256-2004-6

Les pièces de cet ouvrage ont été initialement publiés dans l'ouvrage *Pièces et saynètes pour les enfants*, © Retz, 1988.

SOMMAIRE

Un maître soumet un problème de mathématiques, simple
en apparence, à ses élèves. Mais face à leurs remarques
déconcertantes, il va être amené à modifier peu à peu l'énoncé
de son problème... jusqu'à le rendre très complexe !

Un ministre répète devant sa secrétaire le discours qu'il doit
prononcer à l'Académie française. Mais le pluriel n'est pas son fort
et il commet de nombreuses fautes, que sa secrétaire tente
de corriger. Cette accumulation d'erreurs aboutit à
des retournements de situation inattendus...

Christian Lamblin

Instituteur et auteur de nombreux ouvrages chez Retz, il
a déjà publié plusieurs pièces de théâtre régulièrement
jouées dans les pays francophones.

Le problème

Personnages :
Le maître,
9 élèves,
le directeur,
le ministre,
le concierge

Accessoires :
Un tableau sur lequel
le problème est écrit,
un tissu qui cache
le tableau, un chiffon,
un seau d'eau

Des élèves bien rangés entrent en classe. Ils sont suivis d'un maître. Celui-ci pose son écharpe et son chapeau sur une chaise pendant que les enfants s'installent à leurs places. Dès que le silence est revenu, le maître prend la parole.

le maître
Mes enfants, nous allons commencer notre journée par un petit problème de mathématiques. *(Puis il dévoile le tableau sur lequel un problème est déjà écrit. Il le lit à haute voix.)* Mon papa achète une grosse tarte aux fraises et il la partage en quatre. Sachant que la tarte pèse 800 grammes, quel va être le poids de chaque part ? *(Se tournant vers la classe.)* Est-ce que tout le monde a bien compris ce petit problème ?

5

les élèves, *en chœur*
Ouiii.

le maître
Quelqu'un a-t-il des questions à poser?
(Un enfant lève le doigt.)

1ᵉʳ élève
Quand vous dites « mon papa », vous pensez à votre papa à vous ou bien à notre papa à nous?

le maître
Je pense à ton papa, bien sûr! Je ne vois pas pourquoi je parlerais de mon papa en classe!

1ᵉʳ élève
Ah bon... Ça m'ennuie un peu, maître... Mais mon papa à moi, il n'achète jamais de tarte aux fraises. Dès qu'il mange une fraise, toc! il se retrouve avec plein de boutons sur le nez! On dirait un vrai martien et ça fait rire tout le monde!

2ᵉ élève
Moi, c'est pareil avec mon tonton. Sauf que lui, c'est quand il mange du boudin. Une fois, à Noël, il a voulu en manger et alors...

le maître, *interrompant la conversation*
Non non non! Nous ne sommes pas ici pour discuter des problèmes de santé de vos familles! Cependant, pour faire plaisir à Laurence, je vais remplacer la tarte aux fraises par une tarte aux pommes. Est-ce que tout le monde est d'accord?

les élèves, *en chœur*
Ouiii.

le maître, _prenant le chiffon du tableau, efface « aux fraises » et le remplace par « aux pommes ». Puis, se tournant vers la classe_
Maintenant, j'espère que tout le monde va pouvoir commencer son travail !
(Les enfants se penchent sur leurs cahiers, sauf l'un d'entre eux qui reste le nez en l'air. Le maître se tourne vers lui.)

le maître
Quoi encore ?

3ᵉ élève
C'est à propos de « mon papa »...

le maître
Eh bien ? Qu'est-ce qu'il a, ton papa ? Il n'aime pas les pommes ?

3ᵉ élève
Si, si... Il aime les pommes, mais...

le maître
Mais quoi ?

3ᵉ élève
Eh bien... Mes parents sont divorcés et je vis avec ma maman. Alors si quelqu'un doit couper cette tarte aux pommes, c'est forcément ma maman !
(Le regard du maître va de l'élève au tableau et du tableau à l'élève. Il hésite, puis il efface rapidement « mon papa » et le remplace par « ma maman ».)

le maître
Voilà, j'espère que ça ira maintenant.

un 4ᵉ élève, _levant timidement le doigt_
Euh... maître... Excusez-moi, mais moi, c'est le contraire. Mes parents sont divorcés et j'habite avec mon papa. C'est donc lui qui coupe les tartes aux pommes, forcément...
(_Le maître se gratte la tête. Visiblement, il s'énerve... Il efface brusquement « ma maman » et le remplace par « Je ».)_

2 em scène

le maître
Voilà ! J'espère qu'il n'y aura plus de problèmes comme ça. Tout le monde est capable d'acheter une tarte aux pommes et de la couper, n'est-ce pas ?

les élèves, _en chœur, sauf une petite voix_
Ouiii.

5ᵉ élève
Ça dépend, maître...

le maître
Ça dépend ? Ça dépend de quoi ?

5ᵉ élève
Eh bien, ça dépend du prix ! Une grosse tarte pleine de pommes, ça doit coûter cher ! Et moi, je n'ai pas assez d'argent pour acheter une belle tarte comme ça !

le maître, _qui commence à transpirer_
Et une petite tarte ? Est-ce que tu peux acheter une petite tarte ?

5ᵉ élève
Ben euh... oui... enfin, je crois... Ça dépend...
(_Le maître efface « grosse » et le remplace par « petite ».)_

le maître
Et voilà! J'espère que tout le monde est content, maintenant! *(Un élève se manifeste.)* Quoi encore?

6ᵉ élève
Il y a quelque chose de bizarre dans votre problème, maître... Vous écrivez une « petite » tarte de « 800 grammes ». Si elle pèse 800 grammes, c'est que c'est une grosse tarte, pas une petite! Une petite tarte, ça pèse beaucoup moins lourd que ça!

le maître
Bon d'accord. *(Il essaie de contenir son énervement.)* Nous allons diminuer le poids de cette maudite tarte. Au lieu de peser 800 grammes, elle va peser... 80 grammes. *(Le maître efface un zéro d'un geste rageur.)*
Je relis le problème *(Il insiste sur les mots soulignés.)* : J'achète une petite tarte aux pommes et je la coupe en 4. Sachant que la tarte pèse 80 grammes, quel va être le poids de chaque part? Est-ce que tout le monde a bien entendu?

les élèves, *en chœur*
Ouiii.

le maître
Est-ce que tout le monde a bien compris?

les élèves
Ouiii.

le maître
Donc, tout le monde a bien compris?

les élèves
Ouiii.

le maître
Donc, tout le monde est capable de faire ce problème ?

les élèves
Ouiii.
(Sauf un enfant qui lève la main.)

7e élève
Euh, maître... Je ne voudrais pas vous contredire, mais si c'est moi qui achète la tarte, je ne vois pas pourquoi je la couperais en 4. À la maison, nous sommes 7 en comptant mes parents. Et comme je ne veux pas faire de jaloux, il faut bien que tout le monde en ait un morceau !

8e élève
Chez moi, nous ne sommes que 5, mais il y a le grand-père qui ne mange jamais de gâteau à cause de ses dents. Il dit qu'à trop manger de sucreries, on attrape des caries...
(S'ensuit un brouhaha, chacun voulant exposer son cas personnel...)

3èm Scène

le maître, *hurlant*
Silence ! Bon. *(Il soupire, s'essuyant le front avec le chiffon du tableau.)* Puisqu'on ne peut pas se mettre d'accord sur le nombre de parts, nous allons imaginer que nous partageons cette tarte en classe... Voilà, c'est ça... Nous partageons cette tarte en classe... Comme nous sommes 23, il faudra faire 23 parts... 23 parts... C'est bien ça... *(Se tournant vers la classe, menaçant.)* Et ça ne sert à rien de discuter ! 22 élèves plus un maître, ça fait 23 ! 12 garçons, 10 filles et un maître, ça fait toujours 23 ! 22 cartables plus la serviette du maître, ça fait encore 23 ! Nous partageons donc cette tarte en 23 !
(Il efface rageusement le 4 et le remplace par 23.)
Et maintenant, au travail !

*(Tout le monde se met au travail, sauf deux élèves qui com-
mencent à chuchoter dans le fond de la classe. Le maître
s'approche d'eux, ils se taisent. Puis il s'éloigne, et la
conversation reprend. Le manège se reproduit deux ou trois
fois.)*

le maître
Non mais, ce n'est pas bientôt fini! Qu'est-ce qu'il y a
encore?

9e élève
C'est à cause de Stéphanie, maître... Elle dit que pour être
poli, on doit vous donner une part plus grosse que les nôtres...
Moi, je veux bien, mais ça ne simplifie pas les calculs...

le maître
Je ne veux pas une part plus grosse que les autres! Je
veux une part comme les autres! Pas plus petite, pas plus
grosse! Et maintenant ça suffit! Et maintenant au travail! Et
maintenant silence! Et le premier qui ouvre encore la
bouche, je le punis!
*(Tout le monde se met au travail dans un chuchotis d'opé-
rations.)*
*(Suite à son énervement, le maître est débraillé. Il a de la
craie sur sa veste et ses cheveux. Il n'est pas très présen-
table... Tout à coup le directeur de l'école entre dans la
classe. Il est suivi d'un autre homme.)*

le directeur
Bonjour, monsieur l'instituteur. Comme vous le voyez, je suis
accompagné de monsieur X. C'est notre ministre... *(Le maître
semble défaillir.)* Monsieur le ministre est dans notre école
pour observer le travail des enfants...

le maître, *s'approchant du ministre*
Bonjour, Monsieur le ministre...
Le ministre ne réagit pas.

le directeur, *se penchant vers le maître, lui chuchote*
Parlez plus fort... Il est un peu sourd.

le maître, *hurlant*
Bonjour, Monsieur le ministre !

le ministre
Quoi ? Qu'est-ce que vous dites ? Vous trouvez que j'ai l'air
sinistre ?

le maître, *hurlant*
Mais non ! Je vous dis : bonjour Monsieur le ministre !

le ministre
Mais non, je ne suis pas le dentiste ! Je suis le ministre ! Le
mi-nis-tre !
(Se tournant vers le public.) Le pauvre homme ! Il a l'air bien
fatigué... *(Le ministre circule entre les tables, puis regarde au
tableau et lit le problème.)* J'achète une petite tarte aux
pommes et je la partage en 23... *(Il s'interrompt, regarde le
maître d'un air étonné puis poursuit sa lecture.)* Sachant
que la tarte pèse 80 grammes, quel sera le poids de
chaque part..
Voyons, voyons... *(Air étonné.)* Ce problème me semble un
peu curieux... Partager une petite tarte en 23, quelle drôle
d'idée...

le maître, *tentant de s'expliquer*
Mais Monsieur le ministre, ce n'est pas ma faute... C'est à
cause des enfants...

le ministre, *tendant l'oreille*
Quoi? À cause des éléphants? Quelle drôle d'idée...
(Regardant autour de lui.) Mais je ne vois pas d'éléphants
ici... juste d'adorables petits enfants... *(En aparté, avec le
directeur.)* Dites donc, j'ai l'impression que ce maître est un
peu fatigué... Il est tous les jours comme ça?

le directeur
Oh non, Monsieur le ministre! Monsieur Durand est un
excellent maître! Il est très connu dans notre ville!

le ministre
Des crocodiles? Mais pourquoi me parlez-vous de crocodiles? *(Se tournant vers le public.)* Décidément, je crois que
je suis tombé dans une école de fous! *(Puis, se dirigeant de
nouveau vers le tableau.)* Allons, allons... Voyons ce problème... Tout d'abord, si vous voulez partager cette tarte en 23,
il faut en prendre une grosse, pas une petite! *(Le ministre
saisit l'écharpe du maître en pensant prendre le chiffon du
tableau. Il efface « petite » et le remplace par « grosse ».)*
Bien sûr, une grosse tarte pèse bien plus de 80 grammes!
Voyons, voyons... Disons 800 grammes. *(Il corrige au
tableau.)* Et puis... *(Il recule pour mieux lire. Il est sur le point
de s'asseoir sur la chaise où se trouve le chapeau du maître.
Celui-ci essaie plusieurs fois de le reprendre sans que le
ministre s'en aperçoive... Mais trop tard. Le ministre s'assied
dessus. Puis il se relève et s'approche une nouvelle fois du
tableau.)* Voyons, voyons... La partager en 23, quelle drôle
d'idée! Ce sont des calculs trop difficiles pour des enfants de
cet âge. Il faut faire plus simple... Par exemple, nous pour-
rions très bien la partager en 4... Oui, c'est ça... En 4! *(Il corrige, toujours en se servant de l'écharpe du maître en guise
de chiffon. Puis il vient s'appuyer contre le bureau et, sans le
faire exprès, il fait tomber la serviette du maître dans le seau
d'eau. Il ne s'aperçoit de rien. Consterné, le maître s'assied à*

Scène 4

son tour sur la chaise.) Et puis... et puis... ce « je » m'ennuie un peu... Les enfants de cet âge sont encore trop jeunes pour acheter eux-mêmes des gâteaux... Ce sont générale- ment les parents qui se chargent de ce travail... Je crois qu'il serait préférable de dire « mon papa »... Oui, c'est ça... « mon papa », c'est très bien. *(Il corrige puis recule tout en regardant le tableau. Il s'assied sur la chaise où se trouve déjà le maître. Celui-ci grimace abominablement.)* Encore une petite chose... Je crois qu'il faudrait mettre un peu de couleur dans ce problème. À la place des pommes, dont la couleur n'est pas très vivante, je préférerais des fraises d'un beau rouge vif. Oui, c'est ça... Avec des fraises, ce sera par- fait ! *(Il retourne au tableau, efface « aux pommes » et le remplace par « aux fraises ». Puis il relit le problème d'un air très satisfait.)* Mon papa achète une tarte aux fraises et il la partage en 4. Sachant que la tarte pèse 800 grammes, quel va être le poids de chaque part ? Eh bien voilà un excellent problème ! *(Se tournant vers le maître.)* Qu'en pen- sez-vous, monsieur Durand ?

le maître
En effet, Monsieur le ministre. C'est un très beau problème... Mais je l'avais déjà écrit ce matin !

le ministre, *se tournant vers le public*
Un marsouin ? Pourquoi me parle-t-il de marsouin ? Décidément, tout le monde est très bizarre dans cette école ! Il vaut mieux que je m'en aille ! *(S'adressant au maître.)* Bon, allez, je vous laisse ! Et bon courage ! *(Le ministre et le directeur sortent, laissant le maître dépité au milieu de sa classe. Sonnerie. Les élèves sortent à leur tour. Le maître reste seul. Il défroisse son chapeau, dépoussière son écharpe, récupère sa serviette dans le seau d'eau. À ce moment surgit le concierge.)*

le concierge
Ah! monsieur Durand! Votre femme vient de téléphoner pour vous demander un petit service...

le maître
Ah bon...

le concierge
Oui, elle vous demande de passer à la pâtisserie pour acheter une tarte aux fraises...

le maître, *sursautant*
Une quoi?

le concierge
Une tarte aux fraises... pour quatre personnes. *(Soudain, le maître jette ses affaires par terre et se met à courir après le concierge.)*

le maître, *hurlant*
Je ne veux plus jamais entendre parler de tarte aux fraises! Je hais les tartes! Je hais les fraises! Plus jamais! Plus jamais!

RIDEAU

Le discours

Personnages :

Gladys, secrétaire
Jean, garde
Édouard, ministre
François, président
de la République

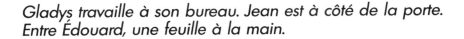

Accessoires :

une liasse de feuilles (le discours)
une médaille pour le ministre,
une hallebarde en carton et
une lettre grand format
pour le garde,
un bureau et une machine
à écrire pour la secrétaire
un chapeau haut de forme
pour le président.

Gladys travaille à son bureau. Jean est à côté de la porte.
Entre Édouard, une feuille à la main.

Jean, *criant son annonce*
Monsieur le ministre !

Gladys, *se levant*
Bonjour, Monsieur le ministre.

Édouard
Ah, ma chère Gladys! Heureusement que vous êtes là. Je crois que je vais avoir besoin de vous.

Gladys
Si je peux vous être utile, Monsieur le ministre...

Édouard
Eh bien, ma chère Gladys... mais je vous en prie, asseyez-vous.
(Elle s'assied.)
Voilà de quoi il s'agit... Je dois faire un discours devant ces messieurs de l'Académie française...

Gladys
Je vois! Ces messieurs sont très pointilleux sur la langue.

Édouard, *étonné*
Sur la langue?
(Il tire la langue et la montre du doigt.)

Gladys
Mais non, pas sur la langue...
(Elle montre sa langue...)
... mais sur la langue! La langue française! Avec ces messieurs de l'Académie, il ne s'agit pas d'employer un mot à la place d'un autre, ou de mal construire ses phrases.

Édouard
Justement, Gladys! C'est pour ça que j'ai besoin de vous. Je vais vous lire mon discours et vous allez me dire ce que vous en pensez.

Gladys
Je vous écoute, Monsieur le ministre.
(Jean reçoit alors une lettre provenant de l'extérieur.)

Jean
Une lettre pour Monsieur le ministre !

Édouard
Laissez-nous travailler, voyons ! je verrai ça plus tard.
*(Édouard se met en place. Il ajuste sa cravate, se repeigne,
frotte ses chaussures contre son pantalon pour les faire
briller, s'éclaircit la voix. Puis il attaque son discours avec
emphase.)*

Édouard
« Chers amis de l'Académie française... »
(Il se tourne vers Gladys.)
Pas mal pour un début, n'est-ce pas ?

Gladys
C'est un très bon début, Monsieur le ministre.

Jean
Peut-être un peu classique ?

Édouard
Vous, le garde, on ne vous a pas sonné ! Contentez-vous de
garder la porte ! Bon, je continue... « Chers amis de
l'Académie française, c'est avec un plaisir intense que j'ai
pris connaissance de vos travail...
(Gladys et Jean sursautent.)
... sur l'évolution de la langue française. »

Gladys
Pardon, Monsieur le ministre... Vous avez bien dit « vos travail » ?

Jean
Ah oui ! Il l'a dit ! J'ai bien entendu.
(Œil furieux d'Édouard vers Jean.)

Édouard
Mais oui, Gladys. Ces gens m'ont envoyé des kilos de dossiers que je n'ai pas encore eu le temps de lire.

Gladys
Voyez-vous, Monsieur le ministre... On ne dit pas « les travail », mais « les travaux ».

Édouard, *étonné*
Ah bon ? Un travail, des travaux ?

Jean
C'est ça. Un travail, des travaux. Pas besoin d'être ministre pour le savoir !

Édouard
Vous, le garde, on ne vous a pas sonné ! Bon, je reprends :
« Chers amis de l'Académie française, c'est avec un plaisir intense que j'ai pris connaissance de vos travaux...
(Il jette un coup d'œil satisfait vers Gladys.)
... sur l'évolution de la langue française, et je dois dire que j'ai tout lu, jusque dans les moindres détaux. »
(Gladys et Jean sursautent. Édouard s'en aperçoit.)
Eh bien ! quoi encore ?

Gladys
Les détaux ? Qu'est-ce que c'est ?

Édouard
Mais voyons Gladys ! Vous me dites « un travail, des travaux ». J'en conclus donc que « un détail, des détaux ».

Jean, *riant*
Ah! Ah! Un détail, des détaux! Un portail, des portaux! Un épouvantail, des épouvantaux!

Édouard, *furieux*
Vous, le garde...

Jean
Oui, je sais, on ne m'a pas sonné!

Gladys
Voyez-vous, Monsieur le ministre... La plupart des mots en -ail prennent un S au pluriel, sauf quelques-uns qui ont un pluriel en -aux : un corail, des coraux. Un soupirail, des soupiraux. Un vitrail, des vitraux. Un travail, des travaux.

Édouard
Vous ne me simplifiez pas la tâche, ma chère Gladys.

Gladys
Ce n'est pas de ma faute, Monsieur le ministre. C'est la langue française qui est ainsi.

Édouard
Bon, alors je reprends. « Chers amis de l'Académie française, c'est avec un plaisir intense que j'ai pris connaissance de vos travaux...
(Il jette un coup d'œil satisfait vers Gladys.)
... sur l'évolution de la langue française, et je dois dire que j'ai tout lu, jusque dans les moindres détails... »
(Nouveau coup d'œil à Gladys.)
C'est bien comme ça, Gladys?

Gladys
Parfait!

Jean

Super ! Mais votre lettre...
(Il exhibe la lettre.)
... Monsieur le ministre... Qu'est-ce que j'en fais ?

Édouard

Plus tard, mon vieux ! Plus tard ! Vous voyez bien que je suis occupé ! Bon, je poursuis : « Après avoir lu tous vos travaux...
(Coup d'œil à Gladys.)
... je me suis permis d'en faire un petit résumé que j'ai communiqué à différents jourNAUX. » *(Il insiste sur le -aux.)*
Vous constaterez, Gladys, que je connais mes règles ! Un journal, des journaux ! Les noms en -al font leur pluriel en - aux : un journal, des journaux. Un cheval, des chevaux. Un bocal, des bocaux ! Et toc !

Jean

Oui, mais il y a des exceptions !

Gladys

C'est vrai, il y a des exceptions.

Édouard

Oh ! Les exceptions, on ne les utilise jamais ! Bon, ne perdons pas de temps. Je continue... « Après avoir lu tous vos travaux...
(Coup d'œil à Gladys.)
... je me suis permis d'en faire un petit résumé que j'ai communiqué à différents jourNAUX.
(Il insiste sur les -aux.)
Grâce à nos services posTAUX, ces jourNAUX seront distribués partout : dans les hôpiTAUX, les tribuNAUX... et, même, dans les loCAUX syndiCAUX. Tout le monde les lira car on les distribuera aussi dans les carnaVAUX et les festiVAUX.
(Gladys et Jean sursautent. Air inquiet d'Édouard.)

Gladys
Ah...

Jean
Ah !

Édouard, *étonné*
Comment, ah ?

Gladys et Jean, *ensemble*
Exception !

Édouard
Exception ? Comment ça, exception ?

Jean
Un carnaval, des carnavals. Avec un S.

Gladys
Un festival, des festivals. Avec un S.

Édouard
Vous en êtes sûre ?

Gladys
Tout à fait sûre.

Jean
Sûr à cent pour cent !

Édouard
Et... il y en a d'autres, des exceptions ?

Gladys
Quelques-unes, mais je ne peux pas vous les citer toutes !
Ça prendrait trop de temps.

Édouard, *contrarié*
Bon, je reprends... « Tout le monde les lira, car on les distribuera dans les carnaVALS et les festiVALS. Je tiens en effet à
ce que tout le monde sache que vous êtes vraiment des
hommes géNIAL »
(Gladys et Jean sursautent.)
Quoi encore ?

Gladys
GéNIAUX. Que vous êtes des hommes géNIAUX.

Jean
Un homme génial, des hommes géniaux. Un enfant jovial,
des enfants joviaux. Un salut cordial, des saluts cordiaux.
Un...

Édouard, *haussant le ton*
Ah ! vous, le garde, ça suffit ! Quant à vous, Gladys, si vous
avez l'intention de devenir ministre à ma place, vous n'avez
qu'à le dire franchement ! Je commence à en avoir assez
de toutes vos remarques qui...
(Entre le président François.)

Jean
Monsieur le président !

François
Eh bien ! que se passe-t-il ici ? Pourquoi tant de bruit ?

Gladys
Bonjour, Monsieur le président.

Édouard
Mes respects, Monsieur le président.

François
Eh bien, mon cher Édouard, pourquoi ce vacarme ?

Édouard
C'est à cause de cette secrétaire, Monsieur le président. Elle n'arrête pas de corriger le discours que je dois faire devant l'Académie française.

François
Corriger votre discours ?
(Il se tourne vers Gladys.)
Mais pourquoi donc corrigez-vous le discours de ce pauvre Édouard ?

Gladys
Parce qu'il fait des fautes, Monsieur le président. Il n'arrête pas de se tromper dans les pluriels.

Jean
C'est vrai, Monsieur le président ! Il dit un travail, des travail. Un détail, des détaux. Un...

Édouard
Vous, le garde, ça suffit ! On ne vous a pas sonné !

François
Qu'est-ce que j'apprends, mon cher Édouard ? Vous faites des fautes ?

Édouard
Quelques-unes, Monsieur le président, mais pas des fautes graves ! D'ailleurs je connais toutes mes règles ! Je les ai encore relues ce matin, dans mon livre de grammaire. Rien que pour les pluriels, il y en a treize ! Vous vous rendez compte, Monsieur le président ? Treize règles, rien que pour les pluriels. À mon avis, les gens qui écrivent les livres de grammaire ne sont pas des gens normal !

Jean, Gladys, François
Des gens comment ?

Édouard
Des gens normal... normal... mornaux... normaux... Oh ! là ! là ! Je ne sais plus, moi ! Avec toutes ces histoires, je vais finir chez les malades mental... mentaux... Oh ! Et puis zut !

François
Vous m'inquiétez beaucoup, mon petit Édouard.
Approchez-vous, s'il vous plaît...
(Édouard s'approche de François.)
Vous aussi, Gladys. Approchez-vous, s'il vous plaît.
(Elle s'approche. Jean aussi.)

François
Vous, le garde, on ne vous a pas sonné !
(Jean retourne à sa place.)
Attention, on commence ! Un travail ?

Gladys et Édouard, *ensemble, comme des enfants*
Des travaux !

François
Un soupirail ?

Gladys et Édouard, *ensemble*
Des soupiraux!

François
Un éventail?

Gladys
Des éventails!

Édouard, *en même temps*
Des éventaux! Non, des éventails! Oh! Je le savais,
Monsieur le président! Je le savais!

Jean
À mon avis, il ne le savait pas!

Édouard
Vous, le garde!

Jean
Oui, je sais, on ne m'a pas sonné.

François
Un cheval?

Gladys et Édouard, *ensemble*
Des chevaux!

Jean
Facile!

François
Un chacal?

Gladys
Des chacals !

Édouard, *en même temps*
Des chacaux ! Non, des chacals !

François
Des vaisseaux spatiaux ?

Gladys
Un vaisseau spatial !

Édouard, *en même temps*
Un vaisseau spatiaux !

Jean
Ah ! Ah ! Un vaisseau spatiaux ! De pire en pire !

Édouard
Ah ! vous, le garde !

Jean
Je sais, je sais...

François
Bon, je vais être obligé de prendre une décision... À partir de maintenant, mon cher Édouard, vous n'êtes plus le ministre.
(Il lui prend son insigne.)
... mais le secrétaire du ministre. Et vous, ma chère Gladys, vous n'êtes plus la secrétaire du ministre, mais le ministre.
(Il lui met l'insigne.)

Édouard, *outré*
Ah non ! Gladys ! Vous exagérez ! D'abord vous m'énervez avec mon discours, et ensuite vous me piquez mon poste de ministre !

Gladys, *lui montrant son insigne de ministre*
Un peu de silence, mon petit Édouard. Et allez donc vous asseoir à votre bureau, vous avez sûrement un peu de courrier en retard...

Édouard, *s'installant à son bureau, avec un air consterné*
Quand même, la vie n'est pas juste! Ce matin, je me suis levé ministre et ce soir, je vais me coucher secrétaire! Quand je vais raconter ça à ma femme, ça va être ma fête!

Gladys
Un peu de silence, mon petit Édouard!

Édouard
Excusez-moi, Gladys.

Gladys, *montrant son insigne de ministre*
Pardon?

Édouard
Je voulais dire... Excusez-moi, Madame le ministre.

François
Bon, eh bien puisque cette histoire est réglée, je vais pouvoir aller déjeuner avec mes grands-parents...

Jean
Excusez-moi, Monsieur le président... Dans « mes grands-parents », où mettez-vous les S?

François, *étonné*
Eh bien... un S à grand et un S à parent.

Jean
Et si vous dites « des grand-mères »? Où mettez-vous les S?

François
Eh bien... Eh bien... De toute façon, je n'ai qu'une grand-mère. Alors je ne me pose jamais la question!

Jean
Monsieur le président, de quelle couleur sont vos chaussettes?

François, *regardant ses chaussettes*
Eh bien, elles sont vertes. V, E, R, T, E, S.

Jean
Et si elles étaient orange?

François
Des chaussettes orange? Ce serait très moche!

Jean
Des chaussettes orange. Vous mettez un S à orange ou vous n'en mettez pas?

François
Eh bien... je mets un S.

Jean
Erreur! C'est un nom de fruit employé comme adjectif. Il reste invariable. Des chaussettes orange, pas de S. Des gants marron, pas de S. Des yeux noisette, pas de S!

François
Oui, bon, bon... Ça suffit.

Jean
Des porte-avions. Vous mettez un S à avion ou vous n'en mettez pas?

François
Question inutile! Nous n'avons qu'un seul porte-avions!

Jean
Et si vous en aviez plusieurs ?

François
Eh bien... je mettrais un S à porte.

Jean
Erreur ! C'est un nom, composé d'un verbe et d'un nom. Dans ce cas, le verbe est invariable ! Monsieur le président, j'ai le regret de vous annoncer que je dois prendre une décision.

François
Une décision ? Quelle décision ?

Jean
À partir de maintenant, vous n'êtes plus président...
(Il lui prend son chapeau.)
... mais vous êtes garde.
(Il lui donne la hallebarde.)
Et moi, je ne suis plus garde, mais je suis président.
(Il coiffe le chapeau du président.)

François
Ah non ! Ce n'est pas possible !

Jean
Vous, le garde, on ne vous a pas sonné ! Retournez garder votre porte et laissez-nous tranquilles. Nous avons à faire.

François
Quand même, la vie n'est pas juste ! Ce matin, je me suis levé président, et ce soir je vais me coucher garde !

Édouard
Un peu de silence, le garde !

Jean, *retrouvant la lettre dans sa poche*
Qu'est-ce que c'est que ça ? Ah oui ! c'est une lettre pour le ministre.

Édouard
Donnez-la moi, c'est pour moi.

Gladys, *montrant son insigne*
Ce secrétaire a la folie des grandeurs ! Voilà qu'il se prend pour le ministre ! Cette lettre est pour moi, Monsieur le président.
(Gladys prend la lettre, l'ouvre, éclate de rire. Puis elle la passe à Jean qui la lit et éclate de rire à son tour. Gladys et Jean quittent la scène en laissant tomber la lettre par terre. François la ramasse et la lit. Air étonné, puis furieux. Il laisse tomber la lettre à terre et commence à aiguiser sa hallebarde en regardant méchamment Édouard. Celui-ci s'approche avec précaution, ramasse la lettre et la lit à haute voix.)

Édouard
Monsieur le ministre est informé que le discours qu'il devait tenir devant l'Académie française est annulé.
(Il laisse tomber la lettre.)
Annulé ? Annulé ! Mais alors, si j'avais lu cette lettre tout à l'heure quand on me l'a apportée, je ne me serais pas entraîné à lire mon discours... et Gladys ne l'aurait pas corrigé... et le président ne serait pas venu... et je serais encore ministre !

François, *fonçant sur Édouard, sa hallebarde en avant*
Et moi, je serais encore président !
(François poursuit Édouard avec sa hallebarde, puis tous deux quittent la scène.)

RIDEAU

Conception : Sarbacane
Réalisation : Arts Graphiques Drouais
Illustrations : Sébastien D'Abrigeon

N° de projet : 10270978 - D.L. mars 2000
Achevé d'imprimer en France en janvier 2021
par Clerc 18200 Saint-Amand-Montrond
N° d'impression : 14961